Dieses Buch gehört:

Karin Bischoff
Dinosaurier

Hallo!

Ich bin Luzi, die Schildkröte. Hast du gewusst, dass es Schildkröten bereits seit über 200 Millionen Jahren gibt? Meine Vorfahren krochen neben Dinosauriern umher! Woher ich das weiß? Von meinen Urgroßeltern, die es von ihren Eltern erzählt bekommen haben. Komm mit und begleite mich in die spannende Welt der Dinosaurier!

Inhalt

Reise zu den Dinosauriern	4
Luzis Lesequiz	27
So lebten die Saurier	28
Luzis Lesequiz	43
Die Arbeit der Knochensucher	44
Sag mal, Luzi …	58
Luzis großes Lesequiz	60

Reise zu
den Dinosauriern

Dinosaurier und andere Reptilien

Dinosaurier sind
eine ausgestorbene Reptilienart.
Sie krochen nicht wie heutige Reptilien,
sondern liefen:
Ihre Beine waren unter den Körper gestellt
und standen nicht seitlich ab
wie bei Krokodilen oder Eidechsen.

Dinosaurier lebten nur an Land.
Im Wasser zogen Meeressaurier
ihre Bahnen.
Am Himmel flatterten Flugsaurier,
die Pterosaurier,
und später auch Vögel umher.

Auch ich bin ein Reptil!

Plesiosaurus

Mit seinem langen Hals konnte Plesiosaurus gut nach Beute schnappen.

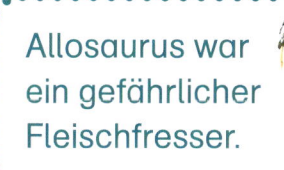

Allosaurus war ein gefährlicher Fleischfresser.

Lauter schreckliche Echsen?

Der englische Forscher Richard Owen
war einer der Ersten,
die in der Mitte des 19. Jahrhunderts
die Knochen von Dinosauriern untersuchten.
Er fand, dass die Tiere
wie riesige Eidechsen aussahen.
Darum nannte er sie Dinosaurier.
Das ist griechisch
und bedeutet „schreckliche Echse".

Es gab sehr viele unterschiedliche Dinosaurier:
Da waren tonnenschwere Pflanzenfresser
und furchterregende Fleischfresser.
Manche Dinos waren nicht größer
als eine Katze, andere so hoch wie ein Haus.
Manche Arten liefen auf vier,
andere auf zwei Beinen.

Der gehörnte Triceratops lebte wie der langhalsige Alamosaurus in der Kreidezeit.

Auf ins Erdmittelalter!

Dinosaurier lebten während des Erdmittelalters.
Forscher nennen diese Zeit Mesozoikum.
Diese Zeit begann vor etwa 250 Millionen Jahren
und endete vor ungefähr 65 Millionen Jahren.

Das Erdmittelalter wird
in die Abschnitte **Trias**,
Jura und **Kreide** eingeteilt.

In der **Trias** gab es auf der Erde
nur eine riesige Landmasse: **Pangäa**.
Dieser Großkontinent war
von einem einzigen Meer umgeben.
Es hieß Panthalassa.

Während des **Jura** brach Pangäa auseinander.
Es bildeten sich zwei Landflächen:
Laurasia im Norden
und **Gondwana** im Süden.
Dazwischen bildeten sich Meere.

In der **Kreide** entstanden weitere Kontinente.
Sie sahen fast schon so aus,
wie du sie heute kennst.

> Im Laufe von Jahrmillionen
> verschoben sich die Landflächen.
> Auch das Klima veränderte sich.

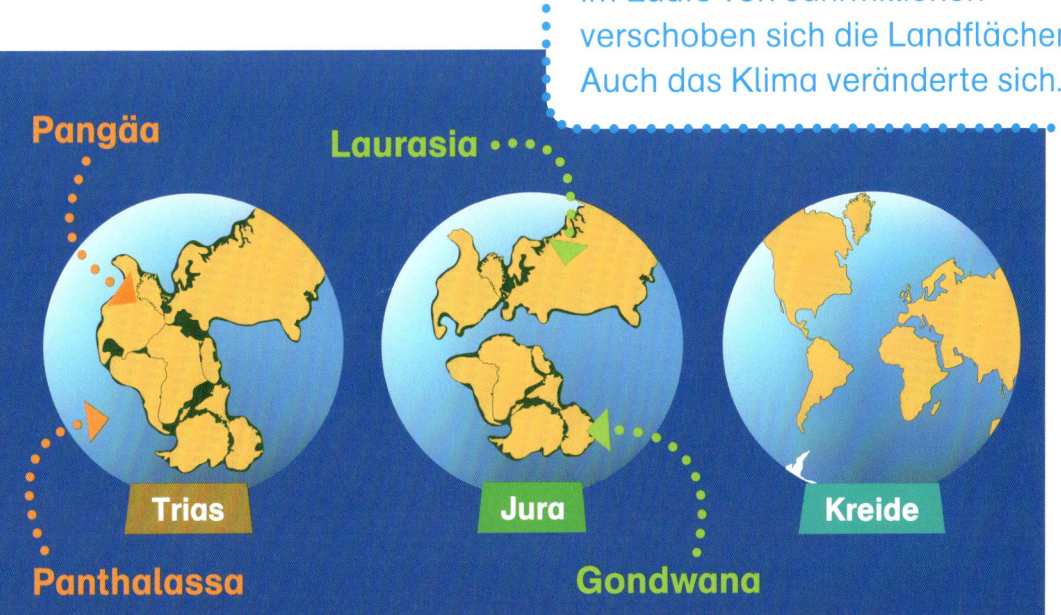

Wann lebten welche Dinos?

In jedem Zeitabschnitt
gab es unterschiedliche Dinosaurier.
Viele von ihnen liefen sich nie über den Weg:
Stegosaurus zum Beispiel
musste sich nicht vor T. rex fürchten.
Er lebte im Jura, T. rex in der Kreidezeit.

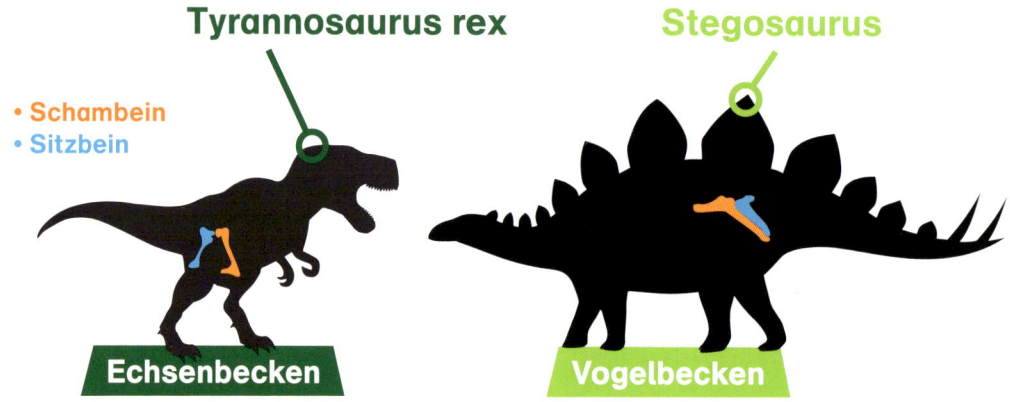

Hast du gewusst …

… dass es zwei Ordnungen von Dinos gab: Echsenbecken- und Vogelbecken-Dinosaurier? Ihre Beckenknochen unterschieden sich. Alle Vogelbecken-Dinosaurier waren Pflanzenfresser. Bei den Echsenbecken-Dinosauriern gab es Fleisch- und Pflanzenfresser.

• Fleischfresser (F)
• Pflanzenfresser (P)

Trias – Wasser, Wüsten, Wälder

Der Urkontinent Pangäa
war von einem riesigen Ozean umgeben.
In den Wüsten im Landesinneren
gab es kaum Leben.

Dort war es unerträglich heiß und sehr trocken.
In Meeresnähe wuchsen Wälder
aus Farnen, Nadelbäumen und Ginkgos.
Jahreszeiten gab es in der Trias nicht.

Herrerasaurus hatte Krallen an den kräftigen Fingern. Damit konnte er seine Beute fest packen.

Trias: vor ca. 250 bis 200 Mio. Jahren
Urkontinent **Pangäa**
Klima: heiß und trocken
Pflanzen: Farne, Nadelgehölze, Schachtelhalme, Ginkgos
Tiere: erste Dinosaurier, Flug- und Meeressaurier, Ammoniten

Der Plateosaurus lief meist auf vier Beinen.

Dinosaurier erobern die Erde

Wälder waren der Lebensraum von Echsen, die auf zwei Beinen liefen. Von diesen vorzeitlichen Echsen aus der Gruppe der Archosaurier stammen alle Dinosaurier ab.

Zu Beginn der Trias gab es noch keine Dinosaurier. Sie entwickelten sich erst im Laufe der Jahrmillionen. Zunächst gab es nur wenige kleinere Arten wie den Pflanzenfresser Pisanosaurus und den Raubsaurier Herrerasaurus.

Erst am Ende der Trias bevölkerten größere Saurier wie der Pflanzenfresser Plateosaurus die Erde.

Lebewesen der Trias

In dieser Zeit gab es neben den Dinosauriern erste Säugetiere sowie Meeres- und Flugsaurier. Krokodile und Schildkröten krochen umher.

Proganochelys

Proganochelys war etwa einen Meter lang.
Hornplatten schützten Bauch, Rücken und Füße.
Hals und Schwanz waren stachlig.

Erste Pflanzenfresser wie **Plateosaurus** weideten Bäume ab.
Um an das leckere Grün zu kommen, stellten sie sich auf die Hinterbeine.
Viele von ihnen zogen in Herden umher.

Plateosaurus

Ammoniten

Im Meer ließen sich **Ammoniten** treiben.
Die schneckenartigen Schalen der Kopffüßer hatten einen Durchmesser von mehreren Metern.

Eoraptor, der flinke „Jäger der Morgenröte", war etwas größer als eine Katze. Der kleine Fleischfresser hatte scharfe Klauen.

Eoraptor

Im Wasser jagten **Nothosaurier** nach ihrer Beute.
Sie hatten Ähnlichkeit mit Krokodilen und konnten sich auch außerhalb des Wassers aufhalten.

Nothosaurier

Lautlos glitt **Eudimorphodon** durch die Lüfte.
Er fing Fische, die nahe der Wasseroberfläche schwammen.

Eudimorphodon

Sauropoden im Jura

Jura – warm und grün

Im Jura bestand die Landfläche aus zwei Teilen.
Dazwischen lagen flache Meere.

Damals entwickelte sich
eine vielfältige Pflanzenwelt.
Riesige Waldflächen aus Baumfarnen,
Palmen und gigantischen Mammutbäumen
bedeckten die Landflächen.
Das Klima war feuchtwarm,
die wüstenartigen Gegenden verschwanden.

Jura: vor ca. 200 bis 145 Mio. Jahren
Pangäa teilt sich in die Kontinente **Laurasia** und **Gondwana** auf.
Klima: warm und feucht
Pflanzen: Farne, Ginkgos, Mammutbäume
Tiere: Pflanzenfresser, Raubsaurier, Echsen, Säugetiere, Vögel

Zeit der Giganten

Die Bedingungen in der Jurazeit
waren für die Dinosaurier optimal.
Die gewaltigen Sauropoden
ernährten sich ausschließlich von Pflanzen.
Weil es eine Menge Beutetiere gab,
breiteten sich zahlreiche Fleischfresser aus.
Die Wissenschaftler nennen sie Theropoden.

Der Jura war die Zeit der Giganten.
Nun streifte Allosaurus durch die Wälder.
Erste Dinosaurier mit Panzer tauchten auf.
Sie konnten sich mit ihren Stacheln,
Hörnern und Platten gut wehren.

Stegosaurus hatte einen mächtigen Körper und einen kleinen Kopf. Sein Gehirn war nur etwa so groß wie eine Walnuss.

Die Dinos breiten sich aus

Insekten, Schildkröten, Krokodile und Eidechsen gab es im Jura im Überfluss – lauter Leckerbissen für die Fleischfresser!

Megalosaurus

Der muskulöse Fleischfresser **Megalosaurus** erbeutete mit seinen kräftigen Kiefern und den spitzen Krallen Pflanzenfresser.

Der riesige **Diplodocus** musste jeden Tag einige Hundert Kilogramm Pflanzen vertilgen, um satt zu werden.
Seinen Schwanz konnte er sehr schnell bewegen und sich damit gegen Feinde verteidigen.

Diplodocus

Stegosaurus

Stegosaurus setzte seine langen Stacheln am Schwanz als tödliche Waffe ein.
Mit den Platten am Rücken regelte er seine Körpertemperatur.

In den Meeren tummelte sich der gefährliche Räuber **Liopleurodon**. Mit seinen vier Flossen war er flott unterwegs und jagte Fische und andere Meeressaurier wie Ichthyosaurier.

Liopleurodon

Archaeopteryx

Archaeopteryx gilt als Urvogel. Sein langer Knochenschwanz und die Zähne im Schnabel zeigen die Verwandtschaft zu den Theropoden. Vogeltypisch waren seine Flügel und sein Gefieder. Er konnte allerdings nur kurze Strecken fliegen.

Der kleine Flugsaurier **Pterodaktylus** hatte einen langen Schnabel mit vielen scharfen Zähnen. Damit jagte er im Flug Fische.

Pterodaktylus

Spinosaurus konnte mit seinem krokodilähnlichen Maul und wahrscheinlich mit Schwimmhäuten zwischen den Zehen gut im Wasser jagen.

Kreide: Es wird bunt und belebt

In der Kreidezeit hat sich das Klima verändert:
Es ist nicht mehr so heiß wie im Jura,
die Temperaturen sind mild, die Meere warm.

Viele Pflanzen, die wir auch heute noch kennen,
entwickelten sich in diesem Zeitalter:
Nadelbäume sowie Laubbäume
wie Eichen, Platanen oder Ahorn,
Feigen und Magnolien.

Kreide: vor ca. 145 bis 65 Mio. Jahren
Aus Laurasia und Gondwana bilden sich allmählich die **heutigen Kontinente.**
Klima: mild, viele Niederschläge
Pflanzen: erste Blütenpflanzen, Farne, Laub- und Nadelbäume
Tiere: Dinosaurier wie Tyrannosaurus rex, Maiasaura, Bienen

In der Kreide ist viel los

Dinosaurier bevölkerten in der Kreide
in allen Größen und Arten die Erde.
Sie waren die Landtiere,
die am häufigsten vorkamen.

Allerdings hatte sich für sie
etwas Grundlegendes geändert:
Die Landmassen schoben sich
immer weiter auseinander,
große Flächen waren von Wasser bedeckt.
Die Tiere konnten nicht mehr ungehindert
auf andere Kontinente wandern.
Sie besiedelten nur noch kleinere Gebiete
und es bildeten sich zahlreiche neue Arten.

Wie gut, dass T. rex heute nicht mehr lebt ...

T. rex war deutlich kleiner als Spinosaurus. Die beiden Räuber sind sich nie begegnet: T. rex lebte nach ihm in der späten Kreidezeit.

Jede Menge Dinosaurier!

Raubsaurier waren in der Kreide weit verbreitet, aber viele Pflanzenfresser konnten sich gut wehren. Erste Vögel flogen neben Flugsauriern.

Pteranodon

Die Spannweite von **Pteranodon** betrug bis zu sieben Meter! Wie bei allen Flugsauriern waren seine Knochen hohl und dadurch leicht. So konnte er trotz seiner Größe gut fliegen.

Tyrannosaurus rex, der 13 Meter lange und sechs Meter hohe „König der Echsen", war mit seinem riesigen Kopf und den unzähligen spitzen Zähnen ein furchterregendes Tier.

Tyrannosaurus rex

Spinosaurus

Spinosaurus war mit einer Länge von bis zu 18 Metern eines der größten Landraubtiere. Sein Rückensegel war etwa zwei Meter lang. Damit konnte er seine Körpertemperatur ausgleichen.

Parasaurolophus

Der Pflanzenfresser **Parasaurolophus** trug eine lange, hohle Röhre auf seinem Kopf. Vermutlich konnte er damit einen lauten Ton erzeugen.

Triceratops, das „Dreihorngesicht" war sehr wehrhaft. Mit seinen langen Hörnern und dem Nackenschild konnte er viele Gegner in die Flucht schlagen.

Triceratops

Kronosaurus

Im Meer gingen Haie, Mosasaurus und der riesige Kronosaurus auf die Jagd.
Kronosaurus kam mit seinen starken Flossen schnell voran. Kaum ein Beutetier konnte ihm entkommen.

Nicht nur die Dinosaurier starben endgültig aus, sondern auch viele weitere Tierarten.

Das Ende der Dinosaurier

Forscher haben herausgefunden,
dass vor etwa 65 Millionen Jahren
ein kilometergroßer Gesteinsbrocken
aus dem All, ein Meteorit,
auf die Erde geprallt ist.
Er schlug im heutigen Mexiko ein.
Durch den Aufprall
bildeten sich riesige Flutwellen.
Vulkane brachen aus, Wälder brannten ab.
Asche- und Staubwolken
verdunkelten die Erde.

Warum überlebten die Dinos nicht?

Durch das fehlende Licht
wuchsen keine Pflanzen mehr.
Dadurch fanden viele Tiere nichts zu fressen.

Die Dinosaurier konnten sich
an die veränderten Bedingungen
auf der Erde nicht anpassen.
Nach über 160 Millionen Jahren
war ihre Herrschaft beendet.

Das Leben geht weiter …

Das Zeitalter der „schrecklichen Echsen" endete,
aber andere Arten überlebten.
Vögel sind die lebenden Nachfahren
der Dinosaurier.
Sie stammen von den Fleischfressern ab.
Die Verwandtschaft erkennst du am Gelege
und an den schuppigen Füßen.

Puh, da bin ich aber froh, dass Ururururururgroßmama das überlebt hat!

Einfach erstaunlich!

Größer, länger, höher, schneller ... Dinosaurier haben viele Rekorde aufgestellt!

Argentinosaurus war mit 40 Metern so lang wie zwei Lkws mit Anhänger!

Lang, länger, am längsten

Der mächtige Schädel von **Triceratops** hatte drei Hörner. Sein Nackenschild wurde bis zu zwei Meter lang.

Riesenkopf

Compsognathus schaffte über 60 km/h – schneller, als in der Stadt mit dem Auto gefahren werden darf!

Schnell wie der Blitz

Brachiosaurus wurde bis zu 23 Meter lang und 13 Meter hoch.

Riesig wie ein Hochhaus

Velociraptor war schlau wie ein Fuchs.

Richtig schlau

Luzis Lesequiz

1 Dinosaurier

a) ... waren nur in heißen Wüsten anzutreffen.
b) ... lebten nur an Land.
c) ... gab es nur in Deutschland.

2 Wie wehrten sich gepanzerte Dinos?

a) Sie spuckten Feuer.
b) Sie zertrampelten ihre Feinde.
c) Sie kämpften mit Keulen, Stacheln oder Hörnern.

3 In der Triaszeit

a) ... regnete es viel.
b) ... war es heiß und trocken.
c) ... war es feuchtwarm.

Lösung: 1b), 2c), 3b)

So lebten die Saurier

Klein im Ei

Alle Dinosaurier schlüpften aus Eiern.
Je nach Art gab es kugelrunde, ovale,
kleine oder sehr große Eier.
Sie bestanden aus festen Kalkschalen.

Maiasaurier waren sehr fürsorglich
und kümmerten sich in der Herde
um ihren Nachwuchs.
Ihr Name bedeutet „Gute-Mutter-Echsen".
Sie buddelten eine Mulde in den Boden
und legten dort die Eier hinein.
Durch die Wärme der Sonne
wurden diese ausgebrütet.
Mit ihrem massigen Körper
hätte die Dinomutter
die Eier zerquetscht.

Maiasaura

Das Gelege der Maiasaura
wurde mit Pflanzen bedeckt.
Diese verrotteten in der Sonne.
Dadurch entstand Wärme.

Rabeneltern

Nicht alle Dinosaurier umsorgten ihre Jungen.
Orodromeus, ein kleiner Pflanzenfresser,
legte seine Eier im Sand ab,
bedeckte sie mit Pflanzen
und ließ sie von der Sonne ausbrüten.
Alles Weitere mussten die Jungtiere
dann selbst bewältigen:
Sie waren Nestflüchter,
die sich selbst versorgten.

Forscher vermuten,
dass Orodromeus-Jungtiere
eine Weile am Brutplatz
zusammen blieben.

Hast du gewusst ...

... dass es kleinere Dinosaurier gegeben hat,
die wie Vögel gebrütet haben?
Oviraptor beispielsweise saß auf einem Nest
und wärmte die Eier mit seinem Körper.

Grün, grün, grün ...

Blätter, harte Zapfen, Wurzeln, Rinde –
Pflanzenfresser waren den ganzen Tag
auf der Suche nach Nahrung.
Etwa eine Wagenladung Grünzeug
brauchten die großen Langhalssaurier täglich,
um satt zu werden.

Mit ihren langen Hälsen erreichten sie
Blätter und Äste ganz oben am Baum.
Ihre säulenförmigen, breiten Beine
gaben ihnen guten Halt,
während sie sich
nach oben streckten.

Brachiosaurus

Die Mehrzahl aller Dinosaurier waren Pflanzenfresser.

Mhmm! Ich liebe Grünzeug!

Schwer verdaulich?

Mit ihren stumpfen Zähnen
konnten Pflanzenfresser nichts zerbeißen.
So landeten Unmengen an Grünzeug
unzerkleinert im großen Magen.

Diplodocus

Sein Hals war über
sieben Meter lang.
Trotzdem war er beweglich,
denn seine Wirbel waren hohl.

Forscher haben herausgefunden,
dass manche Sauropoden
ganz besondere Verdauungshelfer hatten:
Sie verschluckten Steine!
Durch die Bewegung des Tieres
haben die Steine die Nahrung zerkleinert.
Vermutlich halfen auch Bakterien
bei der Verdauung.
Sie zersetzten die Pflanzenstücke
zu einem Brei.

Der starke Kiefer und die spitzen Zähne machten T. rex zu einem gefährlichen Jäger.

Auf der Jagd

Hungrige Velociraptoren jagten im Rudel und konnten auch riesige Pflanzenfresser erbeuten.

Viele Raubsaurier erlegten kleinere, junge oder kranke Tiere, die sich leicht überwältigen ließen.

Größere Fleischfresser wie T. rex gingen meist allein jagen. Sie verfolgten ihre Beute. Ihr massiger Körperbau ließ allerdings nur kurze, schnelle Sprints zu.

Hunger auf Fleisch

Nicht immer verlief die Jagd
erfolgreich für die Raubsaurier.
Dann ernährten sie sich von Aas,
dem Fleisch toter Tiere.

War ein Tier erbeutet,
wurde so viel wie möglich gefressen.
T. rex fraß bis zu 400 Kilogramm Fleisch
bei einer Mahlzeit!

Appetit auf Fleisch und Pflanzen

Manche Dinos waren Allesfresser.
Mit seinem Papageienschnabel
konnte Oviraptor die Eier
anderer Dinosaurier aufbrechen
und auch harte Fruchtschalen knacken.

Ein Rudel Velociraptoren hat einen T. rex erbeutet.

Schnell, schlau oder stachelig

Viele Beutetiere der Fleischfresser
waren ihren Jägern
nicht schutzlos ausgeliefert:
Velociraptoren – kleine, wendige Raubsaurier –
konnten einem großen T. rex entkommen.
Nur selten gelang es ihm,
eines der flinken Tiere zu fangen,
denn er war schwer und etwas unbeweglich.

An gepanzerten Echsen bissen sich
Fleischfresser die Zähne aus.
Nur am Bauch konnten sie verletzt werden,
denn hier waren keine Hornplatten.

Gemeinsam sind wir stark

Das Leben in der Gruppe
bot guten Schutz vor Angreifern.
Chasmosaurier bildeten bei Gefahr
einen schützenden Ring
um junge oder schwache Tiere.
Ihre Hörner zeigten zum Angreifer.

Die mächtigen Sauropoden
waren nur dann in Gefahr,
wenn Raubsaurier gemeinsam
mit Artgenossen sie jagten.
Die Herde schützte sie vor den großen Räubern.

Tödliche Waffen

Andere Dinosaurier wie der Ankylosaurus
hatten dicke Keulenschwänze.
Apatosaurus setzte seinen langen Schwanz
wie eine Peitsche ein.

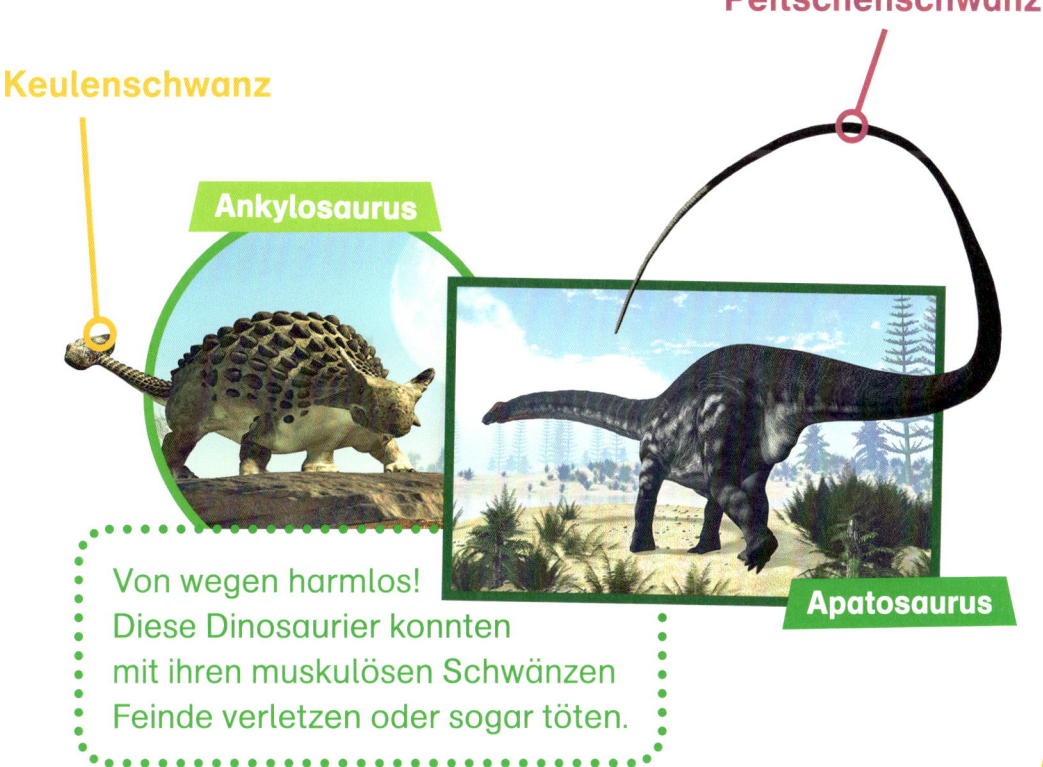

Von wegen harmlos!
Diese Dinosaurier konnten
mit ihren muskulösen Schwänzen
Feinde verletzen oder sogar töten.

Pterodaktylus hatte einen langen Hals und erreichte eine Flügelspannweite von etwa 1,5 Metern.

Segelnde Reptilien

Dinosaurier waren an Land unterwegs.
Ihre Verwandten, die Flugsaurier,
von den Wissenschaftlern Pterosaurier
genannt, drehten am Himmel ihre Runden.
Sie hatten ledrige Flügel
und große, behaarte oder gefiederte Körper.
Mit den Vögeln waren sie nicht verwandt.

Viele Arten wurden sehr groß.
Trotzdem konnten sie geschickt gleiten,
denn sie hatten leichte, hohle Knochen.
Oft starteten sie von erhöht gelegenen Punkten
und waren dann im Gleitflug unterwegs.

Große und kleine Flugkünstler

Eudimorphodon konnte gut fliegen
und brauchte keinen erhöhten Startplatz.

In den Schnäbeln von
Rhamphorhynchus und Pterodaktylus
blitzten spitze Zähne.
Damit fingen sie im Flug Fische
aus dem Wasser.

Rhamphorhynchus

Quetzalcoatlus hatte riesige Schwingen.
Sie waren bis zu zwölf Meter lang!
Sein Schnabel war zahnlos.
Vermutlich ernährte er sich von
Krebsen oder Muscheln.

Quetzalcoatlus

Hast du gewusst ...

... dass ihre Federn und Haare
den Flugsauriern nicht beim Fliegen halfen?
Vermutlich wärmten sie die Tiere
und waren bei der Brautschau zum Angeben gut.

Flink durchs Jurameer

Im Wasser lebten zahlreiche Reptilienarten.
Die Meeressaurier im Jura sahen aus
wie Delfine, Krokodile oder Seelöwen.

Der gefährliche Liopleurodon
war ständig auf der Jagd.
Seine gewaltigen Kiefer hatten
eine enorme Beißkraft.

Die schnellen Ichthyosaurier sausten
mit bis zu 40 km/h durchs Meer.
Neben ihren vier Flossen hatten sie
außerdem eine Schwanzflosse.
Dank ihrer großen Augen konnten sie
auch im tiefen Wasser gut sehen.

Ophthalmosaurus, ein Ichthyosaurier, musste sich vor Liopleurodon in Acht nehmen.

Liopleurodon

Ophthalmosaurus

Mosasaurus

Räuber im Kreidemeer

Mosasaurus war ein gefürchteter Jäger.
Er lauerte Fischen oder Schildkröten auf.
Der riesige Schädel von Kronosaurus
war über 2,5 Meter lang.
Wer von ihm gepackt wurde,
hatte kaum eine Chance zu entkommen.

Zahn eines Kronosaurus

Auch Haie machten die Meere unsicher.
Der Urhai Hybodus jagte vor allem Fische.

Die Meeresschildkröte Archelon
war über vier Meter lang.
Ihr Panzer schützte sie vor Feinden.
Sie selbst war ebenfalls räuberisch
und machte Jagd auf Tintenfische.

Archelon

Plesiosaurus

Familienleben bei den Sauriern

Meeressaurier waren lebend gebärend.
Das heißt, dass die Jungtiere fertig entwickelt
im Wasser zur Welt kamen.

Plesiosauriermütter brachten
nur ein Jungtier auf die Welt.
Es wurde unter Wasser geboren.
Das Junge war schon bestens
an das Leben im Wasser angepasst.

Flugsaurier legten wie ihre
entfernten Verwandten,
die Dinosaurier, Eier.
Viele von ihnen vergruben sie im Boden.
Durch die Wärme wurden sie ausgebrütet.

Hast du gut aufgepasst? Dann ran ans Lesequiz!

Luzis Lesequiz

1 **Wie hieß der größte Flugsaurier?**

a) Quezalcotlus
b) Quetzalcoatlus
c) Quetzolcoatlus

2 **Wie hat T. rex manchmal gejagt?**

a) Er brüllte laut und zertrampelte seine Beute.
b) Er fing Beutetiere in einem Erdloch.
c) Er verfolgte die Beute.

3 **Wie brüteten Maiasaurier ihre Eier aus?**

a) Die Muttertiere wechselten sich beim Brüten ab.
b) Sie ließen die Eier von der Sonne ausbrüten.
c) Sie setzten sich auf die Eier, um sie zu wärmen.

Lösung: 1b), 2c), 3b)

Die Arbeit
der Knochensucher

Fossilien erzählen Geschichten

Ohne Fossilienfunde wüssten wir nichts über Dinosaurier und ihre Lebensweise. Fossilien sind Reste von Pflanzen und Tieren aus lang vergangenen Zeiten. Sie sind nicht zerfallen oder verwest, sondern haben sich als Versteinerung erhalten.

Versteinern können Knochen und Zähne. Das nennt man Körperfossilien. Sämtliche Spuren, die Dinosaurier hinterlassen haben, können auch versteinern: Eier, Fußabdrücke und Kot bezeichnet man als Spurenfossilien.

versteinerter Fußabdruck

Hast du gewusst ...

... dass nur sehr selten weiche Teile wie Hautreste erhalten bleiben? Meist werden sie von Bakterien zersetzt. Darum wissen die Forscher nur wenig über die Haut oder das Fell der Saurier.

So entstehen Fossilien

1. Ein Triceratops wird schwächer und stirbt.

2. Er wird luftdicht unter Schlamm, Erde und Sand begraben.
   Das Fleisch des Tieres verwest, nur die Knochen bleiben übrig.

3. Jahrmillionen vergehen.
   Erdschichten lagern sich über dem Skelett ab.
   Die Knochen versteinern.

4. Gesteinsabtragungen bringen das Fossil immer weiter nach oben.
   Wird ein Knochen gefunden, sind bald Forscher zur Stelle, um das Fossil auszugraben.

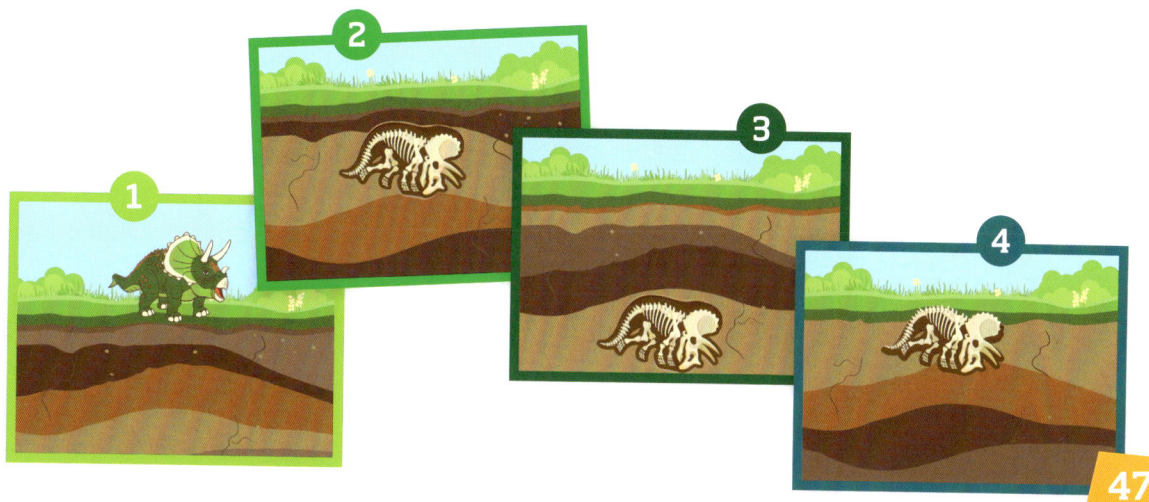

Ausgrabung

Ob nach mir auch mal jemand sucht?

Die Knochensucher

Fossilien ausgraben – das kann nicht jeder.
Nur Dinoforscher wissen,
wie sie Versteinerungen behandeln müssen,
damit diese nicht kaputtgehen.

Wissenschaftler, die sich mit den Lebewesen
aus früheren Zeitaltern beschäftigen,
nennt man Paläontologen.
Sie setzen die einzelnen Knochen zusammen,
um eine Vorstellung davon zu erhalten,
wie ein Dinosaurier ausgesehen haben könnte.

Das ist sehr aufwendig
und dauert meist viele Jahre.
Oft fehlen wichtige Teile des Knochen-Puzzles.

Erste Dinosaurierausgrabungen

Lange Zeit wusste niemand,
dass es Dinosaurier jemals gegeben hat.
Das änderte sich im Jahr 1822:
Die Engländerin Mary Mantell
fand versteinerte Knochen und Zähne.

Ihr Mann Gideon, ein Arzt und Paläontologe,
stellte fest, dass es die Knochen
eines riesigen, ausgestorbenen Reptils
sein mussten.

Er gab dem Tier den Namen Iguanodon.
Als er die Knochen zusammensetzte,
platzierte er das Horn auf der Nase.
Später fanden Forscher aber heraus,
dass das Horn an den Daumen gehört!

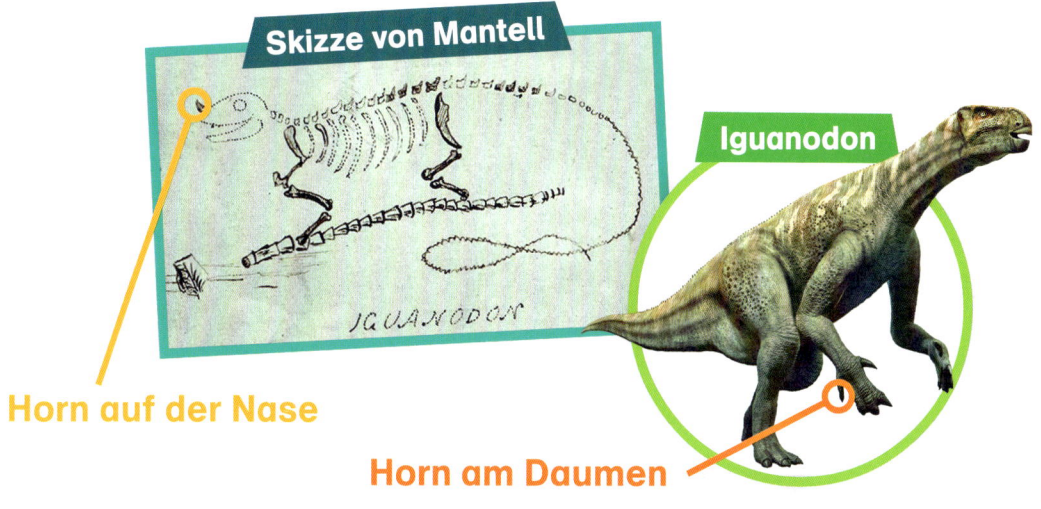

Skizze von Mantell
Iguanodon
Horn auf der Nase
Horn am Daumen

Streit unter Forschern

Nicht immer gehen Wissenschaftler
fair miteinander um.
Ein sogenannter Knochenkrieg
fand vor etwa 150 Jahren statt.
Streithähne waren die damals bekanntesten
Paläontologen Amerikas: Edward Drinker Cope
und Othniel Charles Marsh.

Die zwei ehrgeizigen Männer
waren zunächst freundlich
und interessierten sich
für die Arbeit des anderen.

Edward Cope stellte sich
Elasmosaurus mit langem Schwanz
und kurzem Hals vor.

Elasmosaurus

Die Gier nach Dinofunden machte aus Cope und Marsh Feinde.

Othniel Marsh

Edward Cope

Zerstritten bis auf die Knochen

Aus Freundschaft wurde Feindschaft.
Keiner gönnte dem anderen den Erfolg.
Eines Tages machte Edward Cope einen Fehler:
Er steckte dem langhalsigen Meeressaurier
Elasmosaurus den Kopf ans Schwanzende
statt auf den Hals.

Marsh teilte dem Kollegen den Irrtum mit.
Edward Cope wollte seinen Fehler wettmachen
und lieferte sich mit Marsh
eine sinnlose Jagd nach Rekorden.

Sie hasteten von einem Fundort zum nächsten,
denn jeder wollte den tollsten Dino entdecken.
Sie legten sogar absichtlich falsche Spuren
oder zerstörten Fundstellen.
Über zwanzig Jahre
dauerte dieser unsinnige Wettlauf.

Forscher haben ein Fossil freigelegt. Nun werden die letzten Gesteinsreste vorsichtig abgebürstet.

Hier wird gebuddelt!

Tock, tock, tock – das klingt nach Baustelle.
Hier arbeiten aber keine Bauarbeiter,
sondern Wissenschaftler.
Die Paläontolgen kratzen das Gestein
direkt über dem Fossil mit Meißeln
vorsichtig ab.

Mit einem Radargerät
haben sie herausgefunden,
dass ein Fossil in tiefen Gesteinsschichten liegt.
Mit einem Presslufthammer
wurde die Stelle behutsam freigelegt.

Endlich ist das Fossil zu sehen!
Nun wird alles fotografiert und abgezeichnet.
Nur so wissen die Forscher später noch,
wie die einzelnen Knochen zueinander lagen.

Arbeit im Labor

Fossilien können nur im Labor
genau untersucht werden.
Damit beim Transport nichts kaputtgeht,
werden die Knochen in Gips verpackt
oder in einen Schaum aus Kunststoff gesteckt.

Im Labor werden die Knochen
vorsichtig gesäubert.
Die Forscher arbeiten dabei mit Mikroskopen.
Brüchige Knochen müssen verstärkt werden.
Dafür badet man sie in Kunstharz.
Die Forscher müssen sehr geduldig sein,
denn die Arbeiten im Labor
sind sehr aufwendig und dauern oft Jahre.

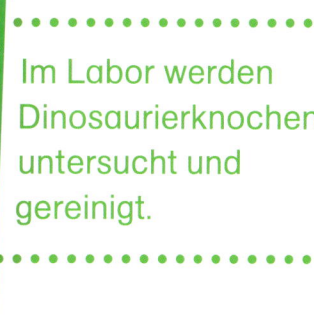

Im Labor werden Dinosaurierknochen untersucht und gereinigt.

Wie sah der Dino einmal aus?

Früher konnten Paläontologen oft nur vermuten,
wo die Knochen hingehörten,
denn es gab noch nicht so viele Funde.
Manchmal irrten sich die Wissenschaftler
und es entstanden Fantasietiere
wie dieses erste Modell des Megalosaurus.

Richard Owen stellte sich Megalosaurus als langbeinige Echse vor.

Nach neuen Erkenntnissen
sah Megalosaurus ganz anders aus.
Er lief vermutlich auf zwei kräftigen Beinen
und hatte kurze Vorderarme.

Megalosaurus war mit seinem großen Kopf, den spitzen Zähnen und scharfen Krallen ein typischer Fleischfresser.

1990 wurde „Sue" gefunden. Der Tyrannosaurus rex ist bis heute das vollständigste Skelett dieser Art.

Das schwierige Dino-Puzzle

Es ist eine knifflige Aufgabe,
aus dem Knochenhaufen
ein Dinoskelett zu errichten.
Viele Knochen fehlen oder sind zerbrochen.

Die Paläontologen untersuchen
die Fundstücke ganz genau.
Sie vergleichen ihre Knochen
mit den Knochen bekannter Dinosaurier.

Nach und nach ergibt sich ein Bild
und die Forscher finden heraus,
um welchen Dinosaurier es sich handelt.
Nun kann das Skelett
zusammengesetzt werden.

Ich schaffe das!

Anhand von 3-D-Modellen können Forscher zum Beispiel winzige Rillen erkennen. Hier waren die Muskeln.

Wie ein Detektiv

Computerprogramme helfen den Forschern bei der Arbeit.
Beispielsweise können die Bewegungen der Tiere rekonstruiert werden.

Ob die Haut schuppig oder gefiedert war, zeigen versteinerte Hautabdrücke.
Aber welche Farbe hatte sie?
Da es keine versteinerten Hautreste gibt, kann diese Frage noch nicht beantwortet werden.

Sinosauropteryx

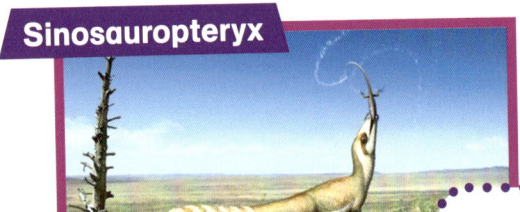

Forscher vermuten, dass Sinosauropteryx einen auffällig braun-weiß gestreiften Schwanz hatte.

Der große Auftritt im Museum

Wird das Skelett in einem Museum ausgestellt,
werden von den Knochen
Abgüsse aus Kunststoff hergestellt.
Die echten Knochen wären
viel zu schwer für ein Dinomodell.
Damit das Skelett nicht auseinanderfällt,
werden die Kunststoffknochen
mit Metallbändern zusammengehalten.

Hast du gewusst ...

... dass im Naturkundemuseum in Berlin
das größte aufgebaute Dinosaurierskelett
der Welt steht?
Der Pflanzenfresser Brachiosaurus brancai
hat eine Höhe von 13,27 Metern.

Sag mal, Luzi ...

... warum bist du eigentlich nicht ausgestorben?

> Wir Schildkröten konnten uns immer schon gut anpassen. Außerdem halten wir Winterschlaf. Andere suchen nach Nahrung, wir schlafen! Clever, oder?

Was ist so besonders an euch?

> Schildkröten gibt es seit über 200 Millionen Jahren! Schau mal meinen Kopf an – sehe ich nicht wie ein Sauropode aus? Unser Panzer ist unser Haus. Fast alle Schildkröten können Kopf und Beine einziehen; dann sind wir einfach verschwunden.

Erzähl mir mehr vom Panzer!

Er besteht aus festen Knochenplatten,
die uns rundherum schützen.
Wir haben verschiedene Hornschilde
am Rücken.
Und auch einen Nackenschild,
wie der Triceratops – na ja, ein bisschen kleiner …

Ihr seid ja wirklich kleine Dinos …

Oh ja! Wir legen Eier und lassen sie
von der Sonne ausbrüten.
Statt Zähnen haben wir scharfe Hornplatten,
mit denen wir zubeißen.
Unsere Kollegen, die Meeresschildkröten,
schwimmen Tausende von Kilometer
zu dem Strand, an dem sie selbst geschlüpft sind.
Dort legen sie ihre Eier ab.

Einfach wundervoll!
Danke, Luzi!

Luzis großes Lesequiz

1 **Was haben alle Dinos gemeinsam?**

a) Ihre Beine stehen gerade unter dem Körper.
b) Sie laufen immer auf zwei Beinen.
c) Ihre Hälse sind sehr lang.

2 **Dinosaurier bedeutet übersetzt:**

a) großes Ungetüm.
b) fürchterlicher Fleischfresser.
c) schreckliche Echse.

3 **Wie lassen sich die Dinosaurier einteilen?**

a) In schnelle und langsame Dinosaurier.
b) In Meeres- und Flugsaurier.
c) In Vogelbecken- und Echsenbecken-Dinosaurier.

Lösung: 1a), 2c), 3c)

4 **Der große Kontinent zu Beginn des Erdmittelalters heißt ...**

a) Pangua.
b) Pangäa.
c) Pengaä.

5 **Welche Bäume zählen zu den ältesten?**

a) Magnolien
b) Buchen
c) Ginkgos

6 **Im Jura gab es ...**

a) riesige feuchtwarme Urwälder.
b) viele heiße, trockene Wüsten.
c) große Steppen.

Lösung: 4b), 5c), 6a)

7 **Wann starben die Dinosaurier aus?**

a) Vor etwa 65 000 Jahren.
b) Vor etwa 65 Millionen Jahren.
c) Vor etwa 120 Millionen Jahren.

8 **Maiasaura bedeutet übersetzt:**

a) Gute-Mutter-Echse.
b) Eier legende Echse.
c) meine Saurierechse.

9 **Die Zähne von Pflanzenfressern waren …**

a) lang und spitz.
b) kurz und spitz.
c) breit und stumpf.

Lösung: 7b), 8a), 9c)

10 Welcher Bereich war bei einigen gepanzerten Dinos nicht geschützt?

a) der Kopf
b) der Bauch
c) der Rücken

11 Wie heißt der Meeressaurier, der wie ein Delfin aussah?

a) Urhai
b) Ichthyosaurus
c) Kronosaurus

12 Wie heißen versteinerte Knochen, Spuren, Eier oder Federn?

a) Fossilien
b) Fossilen
c) Fosilien

Lösung: 10b), 11b), 12a)

Bildquellennachweis

Archiv Tessloff: 1, 2-3Hg., 6mr, 21ul, 25u, 27o, 32ul, 43o, 48ol, 55ur, 58o, 60o; **Getty:** 12 (Mohamad Haghani/Stocktrek Images), 61 (Mohamad Haghani/Stocktrek Images); **iStock:** 26ol (Orla); **picture alliance:** 30ul (prismaarchivo), 40ul (blickwinkel/fototoro), 51ol (Everett Collection), 53ul (Holger Hollemann), 53ur (Tagesspiegel Kitty Kleist-Heinrich), 57 (Eventpress HHH), 63 (blickwinkel/fototoro); **Shutterstock:** 4-5 (Herschel Hoffmeyer), 6ul (Daniel Eskridge), 7or (Suwat wongkham), 8 (Computer Earth), 9 (Designua), 10mr (Stegosaurus: art3), 10ml (Tyrannosaurus: Miceking), 11 (Eoraptor: Miceking), 11 (Herrerasaurus: Morphart Creation), 11 (Plateosaurus: tinkivinki), 11 (Megalosaurus: Art studio G), 11 (Barosaurus: ideyweb), 11 (Brachiosaurus: vidimages), 11 (Stegosaurus: art3), 11 (Archaeopteryx: Art studio G), 11 (Spinosaurus: dkvektor), 11 (Parasaurolophus: Svetsol), 11 (Troodon: Morphart Creation), 11 (Triceratops: Kozyreva Elena), 11 (Tyrannosaurus: Miceking), 11 (Allosaurus: super icon), 11 (Iguanodon: tinkivinki), 11 (Deinonychus: Morphart Creation), 11 (Talarurus: Artur Balytskyi), 11 (Protoceratops: Kozyreva Elena), 11 (Velociraptor: Heitor Barbosa), 11 (Pachycephalosaurus: tinkivinki), 11 (Ankylosaurus: Svetsol), 13or (Daniel Eskridge), 14ul (Esteban De Armas), 15ml (Catmando), 15ur (Catmando), 16o (Catmando), 17u (Daniel Eskridge), 18ur (Warpaint), 19ml (Elenarts), 19or (Daniel Eskridge), 19ur (Elenarts), 20o (Spinosaurus: Linda Bucklin), 21ur (Warpaint), 22ol (Michael Rosskothen), 22ul (Spinosaurus: Daniel Eskridge), 22mr (Orla), 23mr (Elenarts), 23ul (Daniel Eskridge), 23ol (Daniel Eskridge), 24 (serpeblu), 26or (Argentinosaurus: Michael Rosskothen), 26ml (Compsognathus: Elenarts), 26ur (Velociraptor: Michael Rosskothen), 26ul (Brachiosaurus: Catmando), 28-29 (Space-kraft), 30ur (Catmando), 32 (Brachiosaurus: Kostyantyn Ivanyshen), 33 (Linda Bucklin), 34o (Warpaint), 35ur (Elenarts), 37ul (Daniel Eskridge), 37ur (Elenarts), 38o (Elenarts), 39ur (Michael Rosskothen), 39or (Michael Rosskothen), 40ur (Daniel Eskridge), 41o (Dotted Yeti), 41ur (Michael Rosskothen), 41mr (Zähne: Konstantin G), 42o (Daniel Eskridge), 44-45 (paleontologist natural), 46 (Maderla), 47u (Nr.1-4: Shanvood), 48u (KillStock), 49ur (Warpaint), 52ol (LuFeeTheBear), 54ur (Michael Rosskothen), 55o (Vlad G), 56o (FrameStockFootages), 62 (Linda Bucklin); **Thinkstock:** 14mr (istock), 15or (Dorling Kindersley), 18or (istock), 18ml (istock); **Wikipedia:** 14ol (Ghedoghedo), 31 (CC-BY-SA-2.0-FR /Elapied), 49ul (PD/ Gideon Mantell), 50u (Public Domain), 51or (Public Domain), 54ml (Public Domain), 56ul (CC-BY-4.0 (Robert Nicholls))
Umschlagfotos: Shutterstock: U1 und U4 (Warpaint)

Text: Karin Bischoff
Lektorat: Inga Klingner
Illustrationen: Ruth Koch
Bildredaktion: Christine Schmidt-Rudloff
Gestaltung: Ruth Koch
Umschlaggestaltung: Ruth Koch

Copyright © 2020 TESSLOFF VERLAG,
Burgschmietstraße 2–4, 90419 Nürnberg
www.tessloff.com

Die Verbreitung dieses Buches oder von Teilen daraus durch Film, Funk oder Fernsehen, der Nachdruck, die fotomechanische Wiedergabe sowie die Einspeicherung in elektronische Systeme sind nur mit Genehmigung des Tessloff Verlages gestattet.

ISBN 978-3-7886-7669-8